Ce livre appartient à

.............................................

Loi n° 49.956 du 16 juillet 1949 sur les publications
destinées à la jeunesse : novembre 2022
Dépôt légal : mars 2024
Imprimé en France par Gibert-Clarey Imprimeurs
à Chambray-lès-Tours (37)
Édition spéciale non commercialisée en librairie
ISBN 978-2-211-33332-0

Marie-Aude Murail

# *Pitsi-Mitsi*

## *Du temps où les animaux parlaient*

Illustré par Régis Lejonc

*l'école des loisirs*
11, rue de Sèvres, Paris 6e

# Chapitre 1

Il y a bien des années de cela, dans le petit royaume du roi Courcouronnes, certaines familles avaient un animal parlant qui les conseillait. Ainsi dans la famille du Pont, aussi loin qu'on s'en souvenait, on avait toujours eu une souris parlante, qui pouvait s'appeler Pitsi ou bien Mitsi, et la dernière en date Pitsi-Mitsi. Les du Pont étaient très pauvres, et l'on disait dans leur dos que leur souris parlante, qui avait si peu de cervelle, les conseillait n'importe comment. Il est vrai que Pitsi-Mitsi disait des choses mystérieuses, comme :

– Fermez les écoutilles et mangez des broutilles !

Ce qui, pour vous et moi, ne signifie rien. Mais le petit Gaston du Pont, qui avait huit ans, essayait quand même de fermer les écoutilles et de manger des broutilles. Il gardait la souris parlante sur l'épaule droite dans la journée et sur son édredon la nuit. Pitsi-Mitsi était plus que sa conseillère. C'était son amie.

À quelques milles de là vivait la famille du Rang, le père, la mère, leur fille, Joséfine, et leur âne parlant, Bellafond. C'était un âne très intelligent, mais comme il datait du temps de Grand-papa, il était aussi très vieux et à présent il était gâteux. Quand on lui parlait, il concluait toujours de la même façon :

– Quand je pète à huit heures, tout le monde pète à huit heures deux.

À cause de cette phrase que leur répétait leur âne parlant, monsieur et madame du Rang pensaient que leur famille était le centre du monde. Ils étaient donc devenus égoïstes au fur et à mesure que Bellafond devenait gâteux, mais ils étaient persuadés que leur âne était un excellent conseiller, car ils étaient très riches.

Hélas, les ânes, même très vieux, même gâteux, ne sont pas éternels, et un matin madame du Rang trouva Bellafond dans le salon les quatre fers en l'air et tout à fait mort.

– Catastrophe ! s'exclama le père, nous n'avons plus d'animal parlant pour nous conseiller.

Madame du Rang se souvint qu'elle avait un frère.

– Il a une chatte parlante qui s'appelle Lurette.

Renseignement pris, Lurette, une belle chatte angora blanche, venait d'avoir une portée de chatons, dont trois ne disaient que *miaou* et le plus petit était muet. Monsieur du Rang se rappela à son tour que son oncle avait une chienne parlante nommée Sobak qui avait eu une portée de chiots. Sur les quatre chiots, trois faisaient *ouah*, *ouah*, et le quatrième avait laissé espérer mieux, car il faisait aussi *wouf*, *wouf*. Mais il n'était jamais allé plus loin. Ce n'était pas un chien parlant.

Depuis une vingtaine d'années, les animaux parlants devenaient de plus en plus rares. Les médecins et les astrologues du royaume s'interrogeaient : la nourriture des humains ne leur convenait-elle plus ? Ou bien le passage de la dernière comète les avait-il perturbés ? Comme on redoutait la disparition définitive des animaux parlants, les familles qui en avaient un le gardaient jalousement.

Les du Rang commencèrent à lorgner du côté des voisins. Puisque les du Pont étaient pauvres, ils accepteraient peut-être de vendre leur souris parlante.

– Méfions-nous, dit monsieur du Rang à sa femme, cette souris est stupide.

– Nous ne suivrons pas ses conseils, le rassura madame du Rang. Mais nous DEVONS avoir un animal parlant dans notre famille. Mon frère a une chatte parlante, ton oncle a un chien parlant, le roi lui-même a un cochon parlant ! De quoi aurions-nous l'air sans animal parlant ?

Chez les du Pont, depuis quelques semaines, c'était la misère noire, et Gaston ne trouvait même plus de broutilles à manger. Ses parents lui dirent :

– Gaston, nous ne pouvons plus te

nourrir. Voici tout ce qu'il nous reste, deux oignons et un quignon de pain. Mets-les dans ton mouchoir et pars à l'aventure !

Comme c'étaient malgré tout des parents sympathiques, ils donnèrent à leur fils ce qu'ils avaient de plus précieux au monde : leur souris parlante.

– Chers parents, nous partons faire fortune, leur déclara Pitsi-Mitsi, et si Gaston n'épouse pas la fille du roi, ce ne sera pas ma faute.

Ainsi s'en allèrent à l'aventure Gaston et sa souris, perchée sur son épaule droite. Ils n'avaient pas tourné le coin du bois que les du Rang cognèrent à la porte des malheureux du Pont.

– Combien nous vendez-vous votre souris ? demanda monsieur du Rang.

– Pas trop cher, hein ? ajouta madame du Rang, parce que nous sommes riches, mais nous sommes aussi très égoïstes.

Les parents du Pont s'entreregardèrent, désolés. C'était trop tard. Pitsi-Mitsi était partie.

Les du Rang rentrèrent chez eux furieux. Ils appelèrent leur fille au salon et lui dirent ceci :

– Voilà un écu d'or et quelques gros sous, des bonbons et un mouchoir propre. Et voici la porte. Ne reviens à la maison qu'avec Pitsi-Mitsi ou un autre animal parlant.

Comme vous pouvez le constater, c'étaient des parents très antipathiques. Aussi Joséfine ne perdit-elle pas de temps à pleurer. Elle mit l'argent et les bonbons dans sa poche et son mouchoir par-dessus. Puis elle fila vers le bois dans l'espoir de rattraper bientôt Gaston et sa souris.

# Chapitre 2

C'était le printemps. Les pinsons faisaient *cuicui*, les coucous faisaient *coucou* et les tourterelles *broubrou*.

– C'est bien gentil, déclara Pitsi-Mitsi. Mais mon estomac fait *crouic, crouic*.

Gaston partagea le quignon de pain avec sa souris, mâchonna un oignon et but à la rivière.

– Les parents veulent que je parte à l'aventure, dit-il en regardant autour de lui. Mais est-ce que l'aventure est au sud, au nord, à droite ou à gauche ? Plus vite nous l'aurons trouvée, plus vite nous pourrons rentrer à la maison.

– L'aventure est devant, asseyons-nous sur le derrière, répondit Pitsi-Mitsi.

Gaston était habitué aux étranges conseils de sa souris. Donc, il s'assit dans l'herbe et commença à ne rien faire.

– C'est long, dit-il au bout d'une demi-heure.

Soudain, on entendit un craquement dans un fourré proche, et il en sortit une jeune demoiselle avec des yeux vairons, un bleu, un marron, des lèvres pincées, le front barré de soucis, mais quand même jolie.

C'était Joséfine. Elle reconnut son voisin, le petit Gaston du Pont, un garçon pâlichon et maigrichon, mais quand même mignon.

– C'est ta souris parlante qui est sur ton épaule ? fit-elle, après avoir à peine salué Gaston.

– C'est Pitsi-Mitsi, répondit-il fièrement.

– Elle est stupide d'après mes parents, mais c'est mieux que rien. Combien la vends-tu ?

Gaston sentit de petites griffes qui s'enfonçaient dans la chair de son épaule, tant sa souris se cramponnait à lui.

– La vendre ! s'exclama-t-il. Mais sans elle, je serais perdu.

– J'ai l'impression que tu l'es déjà, se moqua Joséfine, qui, l'instant d'après, sursauta.

Il y avait eu un nouveau craquement dans les buissons, et il en jaillit une belle chatte angora blanche.

– Oups, fit Pitsi-Mitsi en plongeant sous le col de chemise de Gaston.

– Bonjour, dit Lurette, je cherche un de mes chatons qui s'est enfui de notre maison. C'est le plus petit, celui qui est muet. Je l'appelle depuis une heure : « Poltron, Poltron ! » C'est son nom, mais il ne me répond pas, et je suis très inquiète.

– Pff, fit Joséfine en haussant une épaule, si ton fils est muet, c'est qu'il est sourd. Tu peux toujours l'appeler, il ne t'entendra pas.

La maman chatte repartit à la recherche de son chaton, les oreilles et la queue basses.

Vous avez sans doute noté que Joséfine n'était pas vraiment gentille. Le pire, c'était qu'elle pouvait faire semblant.

– Mon pauvre Gaston, dit-elle, tu n'as rien à manger pour ton dîner.

Le garçon sortit de sa poche son dernier oignon, qu'il était prêt à couper en trois. Alors, devant ses yeux émerveillés, Joséfine sortit à son tour de sa poche des caramels au beurre salé, des nougats à la pistache, des berlingots au coquelicot, des sucres d'orge à la pomme et à l'anis.

– Je crois que ça se mange, dit Pitsi-Mitsi, les moustaches frémissantes.

D'habitude, Joséfine gardait tout pour elle. Pourtant, pour la première fois de sa vie, elle décida de partager quelque chose qui lui appartenait. Elle eut tout de même un sursaut d'indignation lorsque Gaston se jeta sur ses bonbons. Puis elle trouva amusant de les voir s'empiffrer, lui et sa souris.

– Dépêchons-nous, *miam*, *miam*, de nous *miam*briter sous les arbres, conclut Pitsi-Mitsi, du caramel plein les moustaches, ou la nuit va nous tomber dessus.

Or, c'était tout à fait ce que Joséfine voulait : agir dans l'ombre.

Une fois sous le couvert de la forêt, Gaston, Joséfine et Pitsi-Mitsi cherchèrent en vain le sommeil. De partout leur parvenaient des bruits bizarres, le grognement d'un sanglier, le trottinement d'un renard ou l'appel du hibou.

– Si je racontais une histoire ? proposa Joséfine.

Elle en avait lu beaucoup mais n'en avait jamais partagé aucune.

– Une histoire où le dragon fait rôtir une princesse et le prince finit en crapaud Charmant ? demanda Pitsi-Mitsi, tout excitée.

Joséfine pensa qu'elle n'avait jamais entendu autant de bêtises dans une seule phrase, mais elle ne voulut pas fâcher la souris parlante qu'elle comptait rapporter à ses parents. Aussi commença-t-elle :

– Il était une fois un dragon qui voulait manger un bon rôti de princesse…

À la troisième princesse rôtie, tout le monde était endormi.

Joséfine ne s'éveilla qu'au premier rayon de soleil frappant ses paupières. Il était plus que temps d'agir ! Elle s'avança vers Gaston en tressaillant à chaque brindille qui craquait sous ses pieds. Pitsi-Mitsi dormait, bienheureuse, au creux de l'épaule du garçon. Retenant son souffle, Joséfine abaissa la main vers elle et, sans songer à la peine qu'aurait Gaston, elle s'empara de Pitsi-Mitsi. Avant que Joséfine ait eu le temps de lui fermer le museau, la souris se mit à crier :

– Alerte, quichenotte et pissenlit !

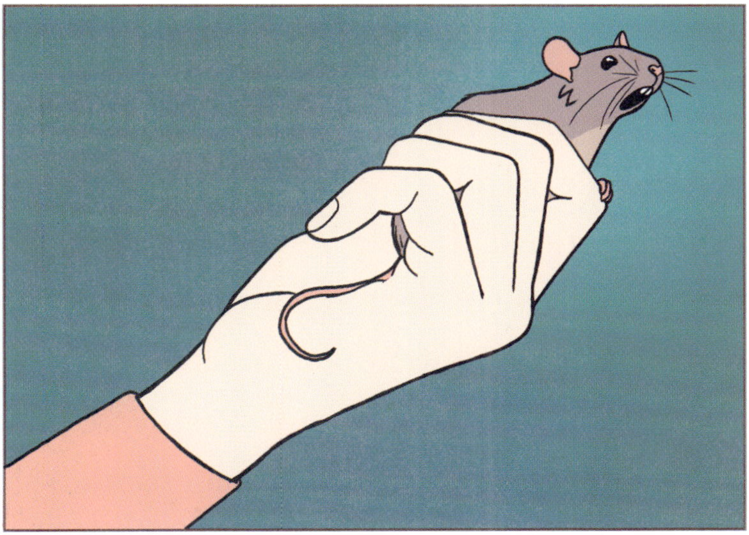

Ce qui n'avait peut-être pas grand sens, mais éveilla Gaston en sursaut. Il saisit Joséfine par le poignet.

– Que fais-tu ? Lâche Pitsi-Mitsi, tu es en train de l'étouffer !

Joséfine desserra les doigts et Pitsi-Mitsi atterrit dans la mousse.

– *Aïe*, *ouille*, mon dos, mes pattes, mon cœur !

La pauvre n'avait jamais vécu une aussi terrible aventure. Joséfine versa aussitôt des torrents de larmes. Ce n'était pas sa faute, *ouin*, c'était celle de ses parents, *ouin*, *ouin*, qui exigeaient qu'elle leur rapporte un animal parlant. Elle ne pourrait plus jamais retourner chez elle, *snif*. En l'écoutant, Gaston reconnut un peu de sa propre histoire et il lui pardonna.

– Faisons route ensemble jusqu'à Grand-ville, lui proposa Joséfine. Là, je trouverai un animal parlant.

– Et moi, une aventure !

Mais ni Gaston ni Joséfine n'avaient jamais voyagé à travers le royaume.

– Je fais confiance à Pitsi-Mitsi, dit le garçon, qui s'en remettait à sa souris pour toutes les décisions.

Donc, au premier croisement, Pitsi-Mitsi décida :

– À droite !

Puis, tandis que les enfants cheminaient à travers champs et forêts, ce fut :

– À gauche, à droi…, non, à gauche, demi-tour, au milieu, à gau… Ah ! ça y est, je reconnais l'endroit !

– Évidemment que tu le reconnais, espèce d'idiote, nous sommes revenus à notre point de départ ! s'emporta Joséfine.

Cela faisait trois heures qu'ils marchaient et ils avaient grand faim. La seule idée de croquer un bonbon de plus leur donnait mal au cœur.

– J'ai eu assez d'aventures comme ça, déclara Gaston. Je rentre chez moi !

– Crois-tu que tes parents sont devenus riches depuis que tu es parti ? le questionna Joséfine.

Elle avait découvert que c'est bien agréable d'avoir de la compagnie, même si c'était un garçon mollasson et sa stupide souris.

– Allons, dit-elle, prenant les choses en main, si nous sortons de cette forêt, nous finirons par trouver une ferme.

Elle fit tinter des pièces au fond de sa poche.

– J'ai de quoi nous payer une omelette aux pommes de terre et un lit aux draps frais.

# Chapitre 3

Gaston était d'humeur sombre en reprenant la route. Il avait des courbatures après une nuit passée à la belle étoile et les pieds écorchés par la longue marche.

– Là-bas! triompha Joséfine, tendant le doigt vers une sombre demeure qui venait de surgir au sommet d'une colline.

Les enfants s'aperçurent en s'approchant

que c'était une auberge percée d'étroites fenêtres, dont l'enseigne, «Au Brave Voyageur», grinçait au vent. Sur le pas de la porte se tenait l'aubergiste, les bras croisés sur un ventre rebondi.

– Auriez-vous une chambre pour nous et un bon repas ? lui demanda Joséfine en prenant un ton de grande personne.

Le bonhomme eut un reniflement de mépris. Des petits vagabonds. Il n'en tirerait pas trois sous.

– On n'accepte pas les souris, dit-il en désignant Pitsi-Mitsi.

– Nous avons de quoi payer, répliqua Joséfine.

Pour preuve de ce qu'elle disait, elle sortit l'écu de sa poche.

– Ma foi, dit l'aubergiste, dont les yeux

avaient brillé d'une lueur méchante à la vue de l'or, si vous mettez votre souris dans une cage, soyez les bienvenus au Brave Voyageur !

– Une cage ! se récria Pitsi-Mitsi. J'ai bien entendu : « Une cage » ?

– Ho, ho, c'est une souris parlante, fit l'aubergiste en élargissant son sourire. Entrez, entrez !

Les animaux parlants se vendaient un bon prix. Que ces enfants soient vagabonds, fugueurs ou même voleurs, peu lui importait à présent. Il les mena à la salle commune, très simplement meublée d'une table de ferme et de deux bancs. Une échelle menait à l'étage, où une paillasse et deux couvertures sales attendaient les braves voyageurs.

– Je m'en vais vous préparer un bon petit dîner, dit l'aubergiste. Peut-être que votre souris aimerait du pâté de chat en entrée ?

Voyant la tête effarée de Gaston, il ajouta :

– Je plaisante, je plaisante. Y a pas de mal à ça, j'espère ?

Puis il trottina jusqu'à la cuisine, où une vieille femme somnolait près du feu. Il la secoua par le bras.

– Ho, la vieille, nous avons des victi… des clients, se reprit-il.

La mère de l'aubergiste – car c'était elle – se leva en hâte, faisant tomber de son tablier coquilles de noix et épluchures de légumes.

– Qu'est-ce qu'on leur donne ? fit-elle, tout affolée.

– À part un bon coup de marteau sur la tête ? Je plaisante, je plaisante, dit le facétieux aubergiste. Prépare-leur une omelette aux pommes de terre. Je vais dans la resserre couper quelques belles tranches de lard…

Pour lui-même il ajouta :

– Et aiguiser mon couteau.

Le repas fut exécrable. L'omelette croustillait de coquilles d'œuf, les pommes de terre n'étaient pas cuites, le lard était si salé qu'il brûlait les papilles. Mais les enfants, qui étaient affamés, raclèrent leur assiette, et Pitsi-Mitsi trouva les noix à son goût. Puis vint l'heure de se coucher.

– Tu mets ton argent sous la paillasse ? s'étonna Gaston en voyant Joséfine qui cachait son écu.

– Chut ! La tête de cet aubergiste ne me dit rien de bon.

Voyant la mine inquiète de Gaston, elle imita leur hôte :

– Je plaisante, je plaisante…

À minuit passé, l'aubergiste, jugeant que les enfants devaient être endormis, grimpa tout doucement à l'échelle. La lune passant par la lucarne fit miroiter à son poing la lame d'un couteau de boucher. L'aubergiste assassin s'approcha de la paillasse, s'apprêtant à trancher deux cous en deux coups de couteau. Mais alors qu'il abaissait le tranchant de la lame vers Gaston, il aperçut, sortant de l'ombre, sa vieille mère qui l'avait suivi, se demandant ce qu'il allait faire au beau milieu de la nuit. Posant l'index en travers de son propre cou, il fit comprendre à la vieille qu'il allait zigouiller les enfants. C'est le moment que choisit Pitsi-Mitsi pour sortir ses moustaches de sous le col de chemise. Elle vit comme dans un cauchemar deux yeux injectés de sang tandis que l'aubergiste lui soufflait son haleine empestée par le vin. Pitsi-Mitsi poussa un cri de souris comme jamais souris ne cria.

– Gniiiiiik !

– Ah, une souris, une souris ! hurla la mère de l'aubergiste, que les souris terrorisaient.

Il n'en fallut pas plus pour éveiller Joséfine. Comprenant à l'instant même le danger qui les menaçait, elle poussa Gaston hors du lit, bouscula la vieille femme et se retrouva au bas de l'échelle en un rien de temps.

– Ma souris ! Ma souris ! s'écria Gaston, la cherchant autour de lui, tandis que la vieille, se cramponnant à son fils, hurlait toujours : « Une souris ! Une souris ! »

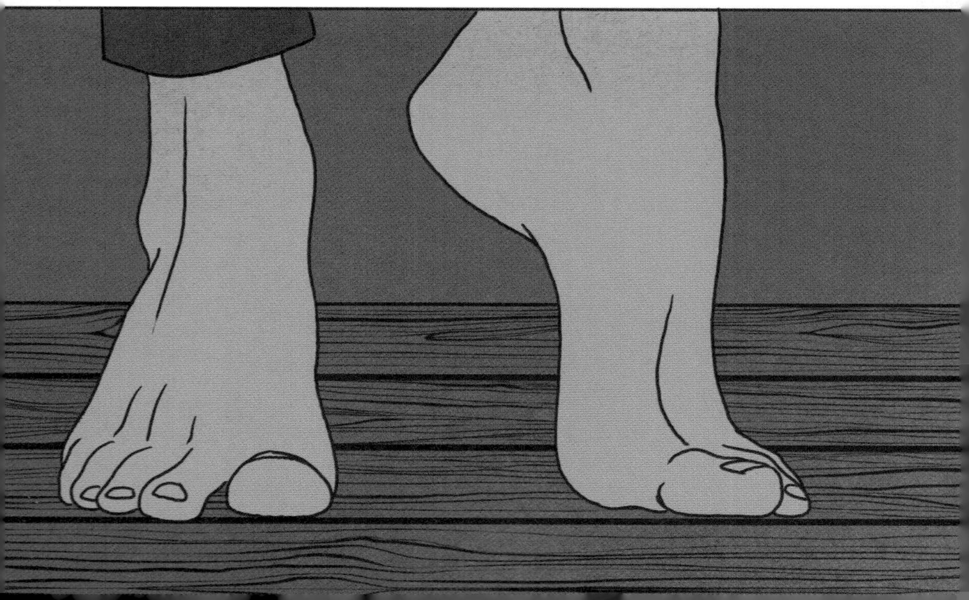

La voie étant dégagée, Gaston, sa souris de nouveau sur son épaule, glissa le long de l'échelle plus qu'il ne la descendit. Puis les enfants s'enfuirent à travers champs, et Pitsi-Mitsi, toute secouée par la course, manqua plusieurs fois être propulsée dans les airs. Ils ne reprirent haleine qu'une fois protégés par l'ombre de la forêt.

– Quand je pense que mon écu est resté sous la paillasse ! se désola Joséfine.

Il ne lui restait plus que quelques gros sous. L'aventure tournait au désastre.

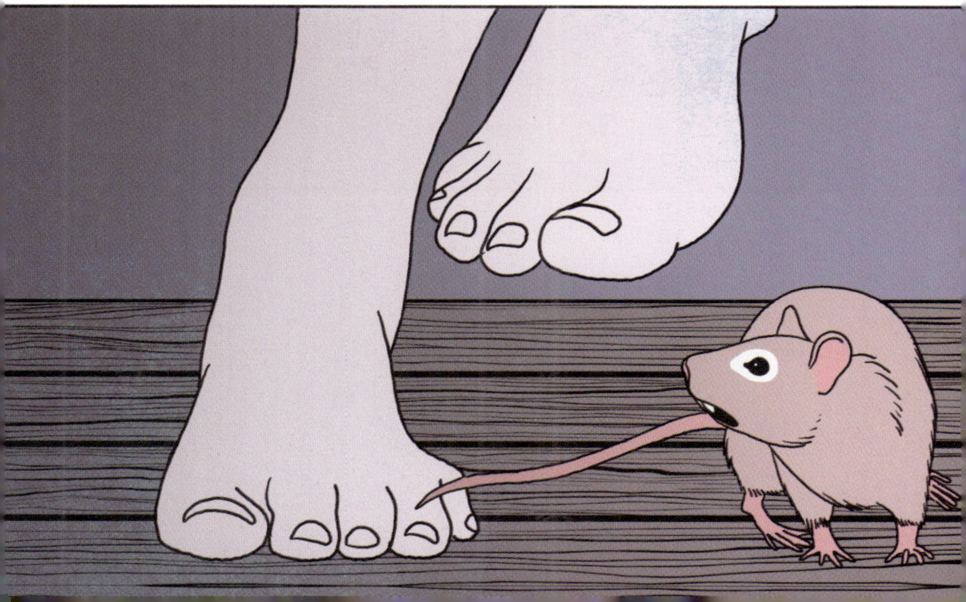

# Chapitre 4

Joséfine s'aperçut le lendemain matin qu'il peut être intéressant d'avoir pour compagnon de route un garçon qui a connu la misère noire. Gaston dénicha des œufs de grive et déterra deux pommes de terre en bordure d'un champ.

– Ce ne sont que des broutilles, dit-il.

Mais quand il eut mis le feu à quelques

brindilles en frottant deux silex, on put en faire un repas chaud. Puis la journée s'écoula sans qu'on n'eût rien décidé. Le temps tournant à la pluie, les enfants cherchèrent de nouveau refuge dans les bois. Ils établirent leur campement dans une clairière tapissée d'aiguilles de pin.

– Qu'allons-nous devenir ? soupira Gaston. Comment fait-on fortune ?

Il espérait un conseil de Pitsi-Mitsi. Mais depuis qu'elle s'était fait traiter d'espèce d'idiote, la souris n'en donnait plus.

– Chut, murmura soudain Joséfine, qui s'était assise tout contre Gaston. J'ai entendu quelqu'un marcher.

Quelqu'un ? Un ogre, un brigand, un loup ? Ou l'aubergiste assassin ? Gaston tâtonnait par terre autour de lui à la recherche d'un bâton quand un éclair roux, zébrant la clairière à ras de sol, lui arracha un cri. Puis l'éclair revint à pas prudents vers les enfants. Il se trouva que c'était un beau renard à jabot blanc.

– Oups, fit Pitsi-Mitsi, plongeant sous la chemise.

– Vous pas avoir peur ! Moi pas méchant.

Stupeur ! Le renard parlait. Un animal sauvage parlant ! Une telle chose existait dans les contes de fées, mais pas dans la réalité. Cependant, le renard s'assit gentiment devant les enfants comme quelqu'un qui voudrait faire la causette.

– Bonjour, dit-il.

– Tu es bien joli, remarqua Joséfine, songeant immédiatement qu'elle pourrait le rapporter à ses parents.

– Mais qui t'a appris à parler ? questionna Gaston.

– Sobak, répondit le renard.

Sobak ! C'était le chien parlant du grand-oncle de Joséfine. Sobak et le renard s'étaient un jour retrouvés nez à nez dans un champ de blé en lisière du village. Sobak, qui s'ennuyait chez les hommes, avait peu à peu apprivoisé le renard, mais il n'avait pas eu le temps de lui apprendre à conjuguer.

– Moi ami de lui, fit le renard en prenant

un air sentimental. Moi rêver à lui quand vent souffler dans blé.

Sobak avait même trouvé un nom pour son ami. En y repensant, le renard se mit à rire en découvrant ses crocs, ce qui inquiéta Pitsi-Mitsi, qui l'examinait par un trou de la chemise.

– Et comment t'appelles-tu ? voulut savoir Gaston.

– Pilon-de-Poulet ! Ha, ha !

Ce renard était un croqueur de poules, fourbe, filou, faux ami, mais bon garçon malgré tout. Comprenant que les enfants avaient faim, il leur promit d'aller voler une poule bien grasse dans un poulailler voisin. Dès qu'il se fut éloigné vers le village d'Alavolette où il s'approvisionnait, Joséfine exposa son plan à Gaston.

– Quand Pilon-de-Poulet dormira, j'irai chercher mes parents. Ils le feront prisonnier et ils auront leur animal parlant.

Ainsi, grâce aux conseils de Pilon-de-Poulet, monsieur et madame du Rang, en plus d'être égoïstes, deviendraient malhonnêtes, ce qui les enrichirait d'autant. Gaston sortit Pitsi-Mitsi de sous sa chemise en la tirant par la queue.

– Qu'en penses-tu ?

Mais la souris resta muette, et Joséfine se moqua. De toute façon, dit-elle, les souris ne pensaient pas !

Le renard revint comme promis avec une poule brune égorgée qu'il tenait entre ses mâchoires. Le sang avait giclé sur sa fourrure rousse, ses yeux brillaient encore de férocité, et il avait des plumes jusque dans le creux des oreilles tant la poule s'était débattue. C'était affreux. Mais après cuisson, c'était très bon.

Pilon-de-Poulet, le ventre bien garni, alla s'étendre sur un lit de mousse et, ayant fait claquer ses dents deux ou trois fois en guise de bâillements, s'endormit profondément. Les enfants, eux aussi, s'étaient couchés. Joséfine, attendant le moment de mettre son

plan à exécution, lutta contre le sommeil. Mais elle n'avait que neuf ans, et ses yeux finirent par se fermer.

Pitsi-Mitsi sortit alors de sa cachette, sous le col de chemise, et s'approcha du renard.

– *Psitt, psitt,* lui souffla-t-elle dans les moustaches.

Pilon-de-Poulet souleva une paupière et, voyant une souris, marmonna :

– Tiens, le dessert…

– Ne dis pas de bêtises, le gronda Pitsi-Mitsi. Je suis une souris parlante et toi, tu ferais bien de te carapater. Joséfine va chercher ses parents et ils feront de toi un animal parlant apprivoisé.

– Moi content si hommes apprivoiser moi, répondit Pilon-de-Poulet, et il se rendormit en rêvant de poulets qui lui tombaient tout rôtis dans la gueule.

« Personne n'écoute mes conseils », remarqua Pitsi-Mitsi, dépitée, en retournant se blottir contre Gaston.

Le réveil se fit en fanfare, car des cors de chasse sonnaient dans le lointain. Soudain, un chien traversa un bosquet voisin. Pilon-de-Poulet, qui s'était redressé, prêt à fuir, reconnut avec soulagement ce brave griffon au poil rude.

– Salut, ami de moi !

C'était Sobak, le chien du grand-oncle de Joséfine.

– Vite ! s'écria Sobak. Tu dois te cacher, Pilon-de-Poulet. C'est jour de chasse à courre ! Le roi Courcouronnes veut exterminer tous les renards du pays.

– Moi appris à parler, fit le renard avec des sanglots dans la voix, mais hommes pas vouloir aimer moi…

– C'est ta faute, mon vieux, répliqua Sobak, tu visites trop souvent leurs poulaillers.

Un chien, un renard, une souris : Joséfine n'avait jamais eu sous les yeux autant d'animaux parlants à la fois. Mais pas un instant

elle ne pensa qu'elle devait en rapporter un à ses parents, car il y avait plus urgent. Pilon-de-Poulet était en danger !

– Je vais prendre la tête de la meute et détourner les chiens, promit Sobak, mais toi, Pilon, va te terrer !

Pour plus de sûreté, les enfants décidèrent de raccompagner le renard jusque chez lui.

Tout en marchant à reculons, Joséfine effaça leurs traces en balayant le chemin avec un bouquet de fougères.

Pilon-de-Poulet avait un charmant terrier creusé dans un talus. Tout alentour poussaient violettes et primevères.

– Adieu, enfants, leur dit-il au seuil de sa maison. Moi souvenir toujours. Nuages me parler de vous.

« Pas un mot pour moi », ragea Pitsi-Mitsi en silence. Mais Pilon-de-Poulet, se dressant sur les pattes arrière, la salua affectueusement :

– Au revoir, le dessert !

# Chapitre 5

Les enfants reprirent la route jusqu'à se trouver en vue du clocher d'Alavolette. Quand ils entrèrent dans le village, une pluie de grêlons les força à s'abriter sous un auvent, où une odeur de soupe chaude leur passa sous le nez. Elle s'échappait d'une porte ouverte. Au-dessus de la porte, on pouvait lire ces mots, peints en lettres rouges : « Auberge de l'Ange Gardien ». Tout cela était bien attirant, mais pas pour de braves voyageurs qui avaient échappé au couteau de l'aubergiste précédent.

– Que faisons-nous ? demanda Gaston à sa souris.

– Prenons des renseignements sur cet endroit, répondit Joséfine à sa place. Voilà justement le curé qui sort de son église.

Le père Brindavoine leur parla volontiers de l'aubergiste.

– C'est la veuve Blidot, une brave femme qui a eu des malheurs. Elle a perdu deux enfants en bas âge, une fille et un garçon, puis son mari est mort il y a deux ans, et Gamberge, sa vache parlante, est morte, elle aussi, cet hiver, en mettant au monde un petit veau qui ne sait dire que *meuh*.

La veuve Blidot n'avait plus qu'un

domestique à son service, qui lui désherbait son potager et servait à boire aux clients.

– Mais, leur dit le père Brindavoine en conclusion, je ne crois pas que la veuve Blidot vous donnera du travail.

Joséfine comprit qu'elle et Gaston avaient l'air de deux petits mendiants peu recommandables.

Ils allèrent donc se laver les mains et le visage à la fontaine tandis que Pitsi-Mitsi se lissait les moustaches. Il manquait quelques boutons à la veste de Gaston, son pantalon fermait avec de la ficelle, quant aux cheveux de Joséfine, ce n'était plus qu'un paquet de nœuds. Mais somme toute, ils étaient très présentables.

– Par tous les saints du paradis, d'où sortent ces enfants ? s'exclama la veuve

Blidot en les apercevant sur le seuil de son auberge.

– Nous voudrions de la s…, dit Gaston.

– Nous allons à la cour du Roi, le coupa Joséfine, le ton mondain.

– Et nous voudrions de la sou…

– Nos parents nous y attendent, l'interrompit encore Joséfine, nous ne sommes que de passage et nous voudrions…

– De la soupe ! s'énerva Gaston.

– Mes pauvres petits, dit la veuve, de la soupe, je n'en ai pas.

Les deux enfants s'entreregardèrent, et Joséfine, le cœur gros, sortit les trois derniers sous de sa poche, espérant attendrir l'aubergiste.

– Non, non, je n'ai pas de soupe, répéta celle-ci. Venez voir ce qui cuit sur le feu.

Devant les enfants que la faim faisait saliver, elle souleva le couvercle de sa marmite, découvrant un gros morceau de viande qui barbotait au milieu de carottes, de navets, de choux et de poireaux.

– Asseyez-vous, leur dit-elle. Vous allez goûter au bon fricot de la veuve Blidot.

C'était un fricot qui se mangeait à la cuillère tant la viande était moelleuse et les légumes fondants. Gaston et Joséfine mangèrent sans parler, car même les mots étaient de trop. Quand il eut fini sa première assiettée, Gaston regarda autour de lui. Il y avait quelques dîneurs, des soldats retournant chez eux et des marchands revenant de la foire. Le grand feu dans la cheminée faisait plaisir à voir et allumait des reflets à la surface des poêlons et des bassinoires. Ah, il aurait fait bon vivre ici la fin des aventures !

Soudain, le regard de Gaston s'emplit d'étonnement. Tassé dans l'ombre contre le mur, il y avait un chaton blanc. Gaston se souleva de sa chaise en appelant :

– Poltron ! Poltron !

– C'est ce pauvre chaton que vous appelez ainsi ? intervint madame Blidot. Il est arrivé mourant dans ma courette, je l'ai mis au chaud, et, depuis, il ne bouge pas plus qu'une bûche.

Gaston s'accroupit près de Poltron, qui leva vers lui deux grands yeux douloureux. Que faire ? Gaston, s'écartant de Poltron, tira Pitsi-Mitsi par la queue, car elle s'était de nouveau réfugiée sous sa chemise.

– Que me conseilles-tu ?

– Un bon coup de tapette dans le mur, répondit Pitsi-Mitsi, pressée de se débarrasser d'un ennemi.

Gaston n'hésita pas. Ni une ni deux, il attrapa Poltron par les pattes arrière, lui cogna la tête contre le mur et le reposa sur le carrelage. Un peu étourdi, Poltron se mit à tousser, cracher, hoqueter, puis, dans un éternuement qui le secoua tout entier, il expulsa une arête qui s'était plantée au fond de son gosier et que le coup sur la tête venait de déloger.

– Ça y est ! s'écria-t-il. Je suis guéri !

Miracle ! C'était un chat parlant, qu'une arête de poisson avait jusque-là empêché de parler.

Dès que la nouvelle fut connue, il vint beaucoup de monde à l'Auberge de l'Ange Gardien. On voulait voir, et surtout entendre, le chat parlant. Car les animaux parlants se faisaient rares à Alavolette, comme partout ailleurs dans le royaume. Donc, tout le monde complimentait la veuve Blidot pour son acquisition. Mais celle-ci déclara :

– Je ne peux pas garder Poltron. Le pauvre petit réclame sa maman.

– Comme Lurette sera contente de le retrouver ! s'écria Gaston.

– C'est moi qui vais le porter chez mon oncle, se proposa Joséfine. Repose-toi, Gaston. Je pars immédiatement.

Madame Blidot, après avoir nourri Poltron, l'installa bien confortablement dans un panier.

– Ce ne sera pas trop lourd ? Ce ne sera pas trop loin ? s'inquiéta l'aubergiste.

À toutes les questions, Joséfine répondait que non, que tout irait bien, qu'elle connaissait un raccourci, qu'elle avait hâte de rendre Poltron à sa mère.

– Quelle gentille enfant ! s'attendrit la veuve Blidot en regardant Joséfine s'éloigner.

Gentille ? Vous savez bien que non. Joséfine était partie porter à ses parents leur nouvel animal parlant. Tout en marchant, elle se réjouissait à l'avance de retrouver sa jolie chambre, ses poupées, ses bonbons, ses chers parents (enfin, pas tant que ça). Perdue dans ses rêveries, elle se perdit tout à fait dans la forêt, celle où elle avait fait la connaissance de Pilon-de-Poulet. Mais c'est une autre vieille connaissance qu'elle aperçut dans la clairière.

La belle Lurette était là, qui dormait. De temps à autre, un sanglot la secouait. Après avoir cherché dans toute la région son petit Poltron, elle le cherchait à présent dans ses rêves. Ne le trouvant pas, elle laissa s'échapper une larme de ses yeux clos. Joséfine ressentit alors quelque chose d'étrange au niveau de la cage thoracique. Comme elle n'avait jamais eu «le cœur serré», elle ne comprit pas ce qui lui arrivait. Mais elle eut une idée qui la surprit beaucoup. Elle attrapa le chaton par la peau du cou et le posa devant Lurette en lui disant:

– Ce ne serait pas ta mère, par hasard?

Comment vous décrire le bonheur de Lurette et Poltron, les bonds de joie du petit et les « mon Dieu, mais il parle ! » de sa maman ? Peut-être tout simplement en les laissant tranquilles. Ce que fit Joséfine, qui reprit le chemin de l'auberge en maugréant :

– Flûte et re-flûte, je n'ai toujours pas trouvé d'animal parlant pour mes parents !

Mais alors qu'elle retournait se mettre les pieds sous la table chez la veuve Blidot, il se produisit dans le royaume un terrible événement dont il sera question dans le chapitre suivant.

# *Chapitre 6*

La famille royale avait, depuis des générations, un cochon parlant. Le dernier en date, qui s'appelait Bien-Nourri, avait toujours su conseiller le roi Courcouronnes et sa femme, la reine Bondoufle, leur évitant de faire la guerre, d'augmenter les impôts et même de divorcer.

– Savez-vous la nouvelle ? dit madame Blidot aux enfants, quand ils s'attablèrent pour le petit-déjeuner. Bien-Nourri vient de rendre l'âme et ses deux cochons de fils ne savent dire que *gronf, gronf.*

Le roi et la reine pourraient-ils gouverner sagement le pays sans les bons conseils de leur cochon parlant ?

– Oh, j'ai bien envie d'aller à la cour, soupira Joséfine. J'ai toujours rêvé de voir comment s'habillait la princesse Chantilly.

La fille du roi Courcouronnes et de la reine Bondoufle était une enfant capricieuse d'une dizaine d'années qui préférait écouter sa couturière plutôt qu'un cochon parlant. Elle s'était fait coudre 365 robes, une par jour de l'année. Mais Gaston, que les robes n'intéressaient pas beaucoup, fit celui qui n'entendait pas. Les aventures, pour lui, c'était fini.

Le lendemain matin, la veuve Blidot avait une autre nouvelle à leur apprendre. Dans sa grande sagesse de cochon, Bien-Nourri avait laissé un testament qui disait ceci :

*Nous, Bien-Nourri, n'ayant pas de descendance parlante, déclarons que le prochain conseiller du roi Courcouronnes sera celui, homme ou animal, qui aura la réponse à la question suivante : Quelle est la différence entre un animal qui parle et un homme qui se tait ?*

– Oh, oh, ce doit être facile à trouver ! s'enthousiasma Joséfine. Et j'aimerais tant voir les bijoux de la princesse Chantilly.

La princesse avait dans sa cassette cent colliers d'or et de pierres précieuses, autant de bracelets et encore plus de bagues. (Elle n'avait pas de boucles d'oreilles parce que la reine la trouvait trop jeune pour les faire percer). Mais Gaston n'avait toujours pas envie de courir les routes. Cela ne rapportait rien, dit-il, que des mésaventures.

Or, le lendemain matin, la veuve Blidot eut encore une nouvelle à leur apprendre. Le roi et la reine avaient promis que celui qui aurait la réponse recevrait son poids en or et leur fille en mariage, du moins quand elle aurait fini de jouer à la poupée.

– Gaston, Gaston, il faut y aller ! le bouscula Joséfine. Voyons, voyons... Quelle est la différence entre un animal qui parle et... ? Ça y est, je sais : l'animal parle pour dire des bêtises comme Pitsi-Mitsi, et nous, les humains, nous réfléchissons avant de parler. Voilà, c'est sûrement la bonne réponse !

Gaston se tourna vers sa souris :

– Qu'en penses-tu ?

– Tss, fit-elle entre ses dents, vexée pour de bon.

Tous ceux qui voulaient concourir devaient se présenter à la cour devant le roi et la reine. Il vint de partout des savants, des enseignants, des fermiers, des guerriers, des vieillards et des jeunes gens, des aventuriers et des mères de famille qui souhaitaient marier leur fils aîné.

Gaston et Joséfine se mirent en route, eux aussi, vers Grandville, la capitale du royaume. Gaston espérait secrètement que sa souris se déciderait à parler, une fois qu'elle serait devant le roi. Quand ils arrivèrent, ils virent une foule immense qui débordait de la cour du château jusque sur la route.

La famille royale était assise sur une estrade, abritée du soleil par un dais de drap d'or. Le premier ministre tenait à la main un parchemin sur lequel se trouvait la réponse que chacun essayait de deviner, les uns parlant d'une voix assurée, les autres en tremblant de timidité.

– La parole est d'argent, mais le silence est d'or, dit un vieux professeur. Donc, l'homme qui se tait est supérieur à l'animal qui parle.

– Seul le silence est grand, dit un poète, tout le reste est faiblesse. Donc, l'homme qui se tait est plus fort que l'animal qui parle.

Mais le premier ministre secouait la tête : non, ce n'était pas la réponse que Bien-Nourri avait dictée à son secrétaire. Quelques animaux parlants vinrent aussi tenter leur chance, et la princesse Chantilly s'effraya de devoir épouser un coq ou un bouledogue. Ils dirent que l'animal parlait avec bon sens

tandis que l'homme avait la cervelle creuse, que le silence cachait toujours l'ignorance et que tout cela était la preuve que l'animal valait mieux que l'homme. Mais ce n'était toujours pas la bonne réponse. Le roi Courcouronnes écoutait ces discoureurs en digérant, et la reine Bondoufle, qui s'était fait faire une belle robe de deuil en dentelles noires, s'éventait avec une plume d'autruche.

Enfin, après avoir attendu trois jours dans la longue file, Gaston put s'approcher à son tour du trône. Que venait faire là ce petit mendiant ? chuchotèrent entre eux les courtisans. Quand Gaston tira Pitsi-Mitsi par la queue de sous sa chemise, il y eut des ricanements. Une souris, à présent ! Le roi Courcouronnes, étouffant un bâillement, posa une nouvelle fois la devinette :

– Quelle est la différence entre un animal qui parle et un homme qui se tait ?

Gaston tourna la tête vers sa souris, qui avait retrouvé son perchoir sur l'épaule droite.

– Que réponds-tu ?

– Ceci, dit Pitsi-Mitsi, qui avait eu trois jours pour réfléchir. Il n'y a pas de différence car, qu'on parle ou qu'on se taise, il n'y a qu'un seul monde pour tous.

Les courtisans haussèrent les épaules. C'est évident qu'il n'y a qu'un seul monde pour les hommes et pour les animaux ! Pas

besoin d'être savant pour trouver cela ! Mais Courcouronnes, qui s'était assoupi, eut un petit sursaut. Il réclama le parchemin où la réponse de Bien-Nourri était écrite, et à mi-voix il lut : « Il n'y a pas de différence car, qu'on parle ou qu'on se taise, il n'y a qu'un seul monde pour tous. » C'était, mot pour mot, la solution ! Des cris fusèrent dans la foule :

– Complot !

– Complice !

– Plus d'animaux !

– Appelez la police !

La princesse Chantilly éclata en sanglots. Elle ne voulait pas se marier avec une souris. Le roi aurait volontiers jeté Gaston et Pitsi-Mitsi en prison. Mais comme il avait encore peur de Bien-Nourri, même mort, il fit l'aimable et invita le garçon et sa souris dans ses appartements royaux.

Chose promise, chose due : on fit monter Pitsi-Mitsi sur le plateau d'une balance pour lui donner son poids en or.

– Dix-huit grammes, annonça le ministre du Trésor en déposant un écu sur l'autre plateau.

Puis la reine Bondoufle, un peu gênée, questionna Gaston :

– Peut-être que Pitsi-Mitsi accepterait de vous céder la princesse ? Je n'ai rien contre les souris, mais tout de même, comme mari…

Gaston tourna la tête vers la droite et demanda :

– Que me conseilles-tu ?

Après avoir fait un si bon effet devant la cour, Pitsi-Mitsi préféra se taire plutôt que risquer de dire une bêtise. Un peu ennuyé de ce silence, Gaston répondit à la reine :

– Hum… Nous réfléchirons.

De son côté, escortée par la princesse Chantilly, Joséfine put visiter la garde-robe princière, qui occupait l'aile droite du château. Il y avait là une pièce entière réservée aux manteaux d'hiver en fourrure et une autre pour les manteaux de demi-saison en soie et en satin. Puis ce fut le tour des robes, robes de bal, robes de jardin, robes d'anniversaire. Joséfine avait d'abord poussé des cris d'admiration. Mais arrivée aux chapeaux fleuris et aux capelines enrubannées, elle cria grâce.

– Soit. Passons aux bijoux, décréta la princesse Chantilly, qui avait un caractère si désagréable qu'elle n'avait pas la moindre amie de son âge.

Joséfine s'amusa un moment des émeraudes, des rubis, des topazes et des tourmalines. Elle eut même le droit d'essayer un bracelet, mais la princesse s'écria :

– Fi, que c'est vilain sur votre peau de pain d'épice ! Comparez avec la blancheur de lait de mon bras…

– Oui-da, vous ferez moins la fière quand votre mari vous emmènera dans son trou de souris, se moqua Joséfine.

Puis elle se sauva, car la princesse en colère lui jetait à la tête des perles fines aussi grosses que des cailloux.

# Chapitre 7

Bien que la cour fût en deuil, on avait prévu un grand banquet pour mille deux cents convives. Il fallait fêter le nouveau conseiller du roi Courcouronnes, même si ce n'était – hélas – qu'une souris.

Quand la porte de la salle des festins s'ouvrit devant eux, Gaston et Joséfine furent d'abord cloués sur place d'étonnement. Ils n'avaient jamais rien vu de plus somptueux. Ce n'étaient que nappes finement brodées, cristaux de Bohême, couverts de vermeil, aiguières d'argent et saucières en or. Ah, elle était bien loin, l'Auberge de l'Ange Gardien ! Gaston s'assit entre le roi et la princesse Chantilly. Joséfine se trouva reléguée tout au bout, tout au bout de la longue tablée. Les belles dames de la cour se moquèrent de ses yeux vairons, un bleu et un marron, et, pour faire plaisir à leur princesse, ne l'appelèrent pas autrement que « ce petit monstre ».

Le repas dura jusqu'à deux heures du matin. Pitsi-Mitsi, perchée sur l'épaule de Gaston, resta aussi silencieuse que si elle n'avait jamais parlé. Les plats succédèrent aux plats, les pâtés aux rôtis, les gibiers aux poissons, les bombes glacées aux pièces montées. Ah, il semblait bien oublié, le fricot de la veuve Blidot ! Enfin, Gaston et Joséfine, titubants de fatigue, regagnèrent leur chambre.

– Quelle belle fête ! dit Gaston sans beaucoup d'entrain. Comme nous avons bien mangé ! J'en ai le cœur tout barbouillé.

– Et si tu avais vu toutes les robes, toutes les dentelles, tous les diamants, tous les trucs et les machins de la princesse Chantilly, tu en serais émerveillé ! dit Joséfine, le ton dégoûté.

Au lieu de s'allonger entre leurs draps de soie, tous deux s'assirent à une fenêtre et regardèrent au loin les étoiles qui brillaient au-dessus de l'Auberge de l'Ange Gardien.

Dès le lendemain, la nouvelle se répandit par tout le pays comme une traînée de poudre : le roi Courcouronnes avait trouvé son nouveau conseiller et la princesse Chantilly, son futur mari. On en fit même une chanson :

*Le roi m'a donné un mari,*
*Mon Dieu, quel homme, quel petit homme !*
*Le roi m'a donné un mari,*
*Mais, mais, mon Dieu ! C'est une souris !*

Ce soir-là, dans sa royale chambre, tandis que trois servantes lui ôtaient son diadème, son faux chignon et sa robe à cerceau, la reine Bondoufle dit d'un ton aigre à son mari :

– J'imagine que de là-haut, dans son paradis de cochons, Bien-Nourri est content du tour de cochon qu'il nous a joué !

– Comment me ferai-je respecter des rois voisins, se plaignit à son tour Courcouronnes, si mon conseiller est une souris parlante qui ne veut même plus parler !

– Ça y est, j'ai trouvé la solution ! s'écria la reine.

– Nous l'avions déjà, lui fit observer son mari, qui récita : « Il n'y a pas de différence, car, qu'on parle ou qu'on... »

– Non, non, la solution à notre problème, le coupa la reine. Je sais comment nous allons nous débarrasser de cette Pitsi-Mitsi.

– Une tapette à souris ?

Le lendemain matin, deux gardes allèrent chercher dans leur chambre Gaston et sa souris et les menèrent devant le roi et la reine.

– Fais parler ta souris, lui ordonna celle-ci.

Gaston tourna la tête à droite :

– Dis quelque chose.

Mais Pitsi-Mitsi s'obstina à rester muette.

– C'est bien ce que nous pensions ! triompha la reine. Ta souris n'est pas parlante du tout. Tu es ventriloque, c'est toi qui l'as fait parler. C'est toi qui as trouvé la solution à la devinette.

– Parle ! Mais parle ! s'affola Gaston.

Il eut beau la supplier, Pitsi-Mitsi, dans sa grande sagesse de souris, ne voulait pas parler pour ne rien dire. Le roi, furieux d'avoir été trompé, avait bonne envie de couper la tête à Gaston, mais la reine le prit à part pour le raisonner.

– Ce garçon est timide, faites-en votre conseiller. Il ne vous gênera pas dans vos décisions. Et quand nous l'aurons engraissé, comme notre défunt Bien-Nourri, il fera un gentil mari pour notre délicieuse Chantilly.

On fit donc proclamer à son de trompette que le nouveau conseiller du roi était en fait le maître de la souris. À cette nouvelle, la princesse ne se tint plus de joie. Elle allait épouser un joli garçon dont son papa ferait un marquis, le marquis Gaston du Pont !

Cependant, on n'oubliait pas que, en plus d'épouser la princesse, Gaston devait recevoir son poids en or. On le fit monter sur le plateau d'une énorme balance et, sur l'autre plateau, on lui pesa son poids en pièces d'or. Ce fut le moment où il regretta d'avoir eu si peu à manger durant son enfance.

– Dix-huit kilos, annonça le ministre du Trésor en fronçant les sourcils.

Ce qui faisait tout de même un joli tas d'or.

Mais de retour dans sa chambre, Gaston était d'humeur plus sombre que jamais.

– Qu'as-tu ? s'inquiéta Joséfine. À te voir, on croirait que tu vas être pendu !

– C'est pire. Je dois épouser Chantilly.

– C'est vrai que c'est une casse-pieds, admit Joséfine.

– Mais c'est TOI que je veux épouser ! s'écria Gaston.

Joséfine le regarda, la bouche ouverte de stupéfaction.

– Quand je serai grand, précisa-t-il en rougissant.

– Si tu refuses la princesse, elle sera furieuse, s'inquiéta Joséfine, et ses parents nous jetteront en prison.

Alors, une petite voix partit de l'épaule droite de Gaston :

– L'avenir est devant nous, sauvons-nous par-derrière !

C'était un très bon conseil, et les deux enfants s'échappèrent par les cuisines du château. Vous imaginez la joie de madame Blidot quand ils entrèrent dans son auberge ?

– Et moi qui croyais ne plus jamais vous revoir ! Venez vite, la table est mise. Et comme te voilà chargé, mon pauvre Gaston !

– « Pauvre » ? s'amusa le garçon.

Il entrouvrit son baluchon, et madame Blidot aperçut le scintillement des pièces d'or.

Sur les dix-huit kilos, Gaston, qui était un bon fils, en fit parvenir cinq à ses parents.

– Un kilo aurait suffi, grommela Joséfine.

Pendant quelques jours, le roi Courcouronnes fit rechercher Gaston, puis il pensa : « Au fond, bon débarras ! » N'étant plus conseillé, il put enfin augmenter les impôts et se disputer avec sa femme.

À l'Auberge de l'Ange Gardien, madame veuve Blidot décida d'élever Gaston et Joséfine comme ses propres enfants. Peu à peu, Gaston devint plus sûr de lui et Joséfine, un peu moins égoïste. Pitsi-Mitsi, elle, conserva son perchoir sur l'épaule de Gaston le jour et sur son édredon la nuit.

Gaston et Joséfine vécurent heureux ensemble. S'ils se marièrent, je n'en sais rien, mais l'Auberge de l'Ange Gardien s'emplit de rires d'enfants. Parfois, Poltron, Lurette, Sobak et Pilon-de-Poulet venaient partager le fricot dans la marmite.

Poltron eut plusieurs chatons qui ne savaient dire que *miaou* et un unique fils parlant qui s'installa dans la famille du Moulin. Le cadet de la famille, qui était sans un sou, devint très riche grâce aux bons conseils de son chat parlant. Il paraît que celui-ci s'appelait le Chat Botté. Vous en avez peut-être entendu parler ?

De la même autrice à *l'école des loisirs*

Collection Neuf

*Mytho*
*Nonpareil*

Collection Médium

*Amour, vampire et loup-garou*
*Tom Lorient*
*Oh, boy !*
*L'expérienceur* (avec Lorris Murail)
*Simple*
*Maïté coiffure*
*De grandes espérances,* de Charles Dickens
(adapté par Marie-Aude Murail et illustré par Philippe Dumas)
*Miss Charity* (illustré par Philippe Dumas)
*Papa et maman sont dans un bateau*
*Ma vie a changé*

Série Nils Hazard
1. *Dinky rouge sang*
2. *L'assassin est au collège*
3. *La dame qui tue*
4. *Tête à rap*
5. *Scénario catastrophe*
6. *Qui veut la peau de Maori Cannell ?*
7. *Rendez-vous avec Monsieur X*

Série Les mésaventures d'Émilien

1. *Baby-sitter blues*

2. *Le trésor de mon père*

3. *Le clocher d'Abgall*

4. *Au bonheur des larmes*

5. *Un séducteur-né*

6. *Sans sucre, merci*

Collection M+

*La fille du docteur Baudoin*

*Le tueur à la cravate*

*3000 façons de dire je t'aime*

*Malo de Lange* (anthologie)

Série Sauveur & Fils

*Saisons 1, 2, 3, 4, 5, 6 et 7*

Série Angie ! (avec Lorris Murail)

*Angie !*

*Souviens-toi de septembre !*

*À l'hôtel du Pourquoi-Pas ?*

Collection Belles Vies

*Charles Dickens*

Sur Instagram : **@mamurail**